SIOSTRA MARIA

Kuchenne Inspiracje

DOMOWE OBIADY

Ta książka należy do

....

....

Tytuł: *Rodzinne obiady Siostry Marii- Kuchenne inspiracje*
Redakcja: Elżbieta Meissner, Urszula Olszewska, Beata Wieseń, Tomasz Wieseń
Korekta: Monika Mucha, Małgorzata Małachowska
Zdjęcia: Obrazy stosowane na podstawie licencji
wydanej przez Shutterstock.com; Jakub Obarek
Projekt okładki, layout wnętrza: Magdalena Waszak

ISBN 978-83-65807-58-8

Wydawnictwo MARTEL Sp. z o.o.
62-800 Kalisz,
ul. Godebskiego 21

Zamówienia telefoniczne
62 753 66 83 wew. 40 lub 22

biuro@wydawnictwomartel.pl

WSTĘP

Wspólne zasiadanie do niedzielnego obiadu jest głęboko wpisane w tradycję polskiej gościnności i pozostaje niezastąpionym sposobem umacniania rodzinnych i przyjacielskich więzi. Spożywanie pysznych, pięknie podanych dań podkreśla uroczysty charakter takich spotkań.
Książka zawiera zestawy obiadowe. Każdy składa się z przystawki, zupy, drugiego dania, jarzynki lub surówki, ciasta lub deseru oraz bezalkoholowego ciepłego lub zimnego napoju.
Wśród proponowanych dań są potrawy z mięsem, rybą oraz wegetariańskie, bardzo duży wybór dań z warzyw i owoców, kluski, puree i ziemniaki, zapiekanki i tarty, zupy czyste, zabielane i kremy. Osoby hołdujące tradycji będą się cieszyć staropolskim bigosem, flakami i pieczoną gęsią, poszukujący nowinek – bruschettą czy czipsami z batatów. Zapracowani znajdą potrawy do wykonania dosłownie w kilka minut, a czerpiący przyjemność z gotowania takie, na których przygotowanie potrzeba zdecydowanie więcej czasu.
Wszystkie potrawy dadzą się bez trudu przygotować w domowych warunkach z ogólnie dostępnych produktów.

A zatem smacznego i szczęść Boże!
s. Maria Goretti

Siostra Maria Goretti Guziak należy do Zgromadzenia Sióstr Salwatorianek. Zgromadzenie powstało w 1888 roku w uroczym miasteczku Tivoli we Włoszech. Siostry Salwatorianki pracują w Europie, Azji, Stanach Zjednoczonych, Brazylii, Afryce, Ameryce Południowej. Apostolskim celem Zgromadzenia jest wielbić Boga i dawać ludziom możliwość poznania Go przez głoszenie Jezusa Chrystusa jako Zbawiciela świata.
Siostra Maria od 50 lat, jako dyplomowany mistrz kucharstwa, realizuje cele zgromadzenia zakonnego, służąc Bogu i ludziom poprzez swoje prace kulinarne. Jej pasją jest dekorowanie kwiatami i ogrodnictwo.

SPIS TREŚCI

ZESTAW I

Uszka do barszczu 8
Barszcz z uszkami 10
Pieczony pstrąg z ziemniakami 12
Czerwona kapusta 14
Babka piaskowa 16
Kisiel z żurawiny do picia 18

ZESTAW II

Flaki wołowe 22
Pieczony kurczak 24
Pieczone kartofelki 26
Fasolka z bułeczką na złoto 28
Muffinki z żurawiną i lukrem 30
Kompot jesienny 32

ZESTAW III

Bruschetty 36
Barszcz biały tradycyjny z białą kiełbasą 38
Pierogi ruskie 40
Pomidory ze szczypiorkiem 42
Tarta z rabarbarem 44
Kompot ze śliwek 46

ZESTAW IV

Sałatka capri 50
Meksykańska zupa chili 52
Udka kurczaka zapiekane z ziemniakami 54
Szpinak duszony 56
Placek ze śliwkami 58
Mojito truskawkowe 60

ZESTAW V

Carpaccio z wołowiny....64
Krem grzybowy....66
Klopsiki jagnięce....68
Dynia zapiekana....70
Placek cytrynowy....72
Kompot z rabarbaru....74

ZESTAW VI

Krem dyniowy....78
Pierś kurczaka faszerowana grzybami....80
Puree ziemniaczane....82
Sałatka z porem....84
Ciasto czekoladowe wytrawne....86
Kompot morelowy....88

ZESTAW VII

Tort naleśnikowy z łososiem....92
Zupa grzybowa....94
Karp smażony....96
Grzyby w śmietanie....98
Strudel z jabłkami....100
Napój żurawinowy....102

ZESTAW WEGE

Muffiny z serem....106
Zupa cebulowa francuska....107
Placki z cukinii....108
Marchewka glazurowana w miodzie....109
Herbata z owocami....110
Ciasto z truskawkami i kremem śmietanowym....111

ZESTAW I

Uszka do barszczu

❧

Barszcz z uszkami

❧

Pstrąg pieczony
z ziemniakami

❧

Czerwona kapusta

❧

Babka piaskowa

❧

Kisiel z żurawiny
do picia

USZKA DO BARSZCZU

SKŁADNIKI:

Na ciasto

- *500 g mąki pszennej*
- *2 jajka*
- *około 1 szklanki letniej wody*
- *szczypta soli*

Na farsz

- *200 g suszonych grzybów leśnych*
- *2 cebule*
- *tłoczony na zimno olej rzepakowy lub lniany, do smażenia*
- *sól, pieprz czarny, pieprz ziołowy do smaku*

WYKONANIE:

Przygotować farsz. Grzyby opłukać, zalać zimną wodą i moczyć kilka minut. Następnie ugotować je do miękkości w wodzie, w której się moczyły. Pod koniec gotowania posolić. Ugotowane grzyby odcedzić, a wywar z grzybów zachować – będzie potrzebny do barszczu. Grzyby przepuścić przez maszynkę do mielenia mięsa. Cebulę obrać, umyć i posiekać. Na patelni rozgrzać olej i podsmażyć na nim cebulę. Dodać grzyby, doprawić całość do smaku solą oraz pieprzem i smażyć kilka minut, cały czas mieszając zawartość patelni. 2 łyżki farszu odłożyć do barszczu.

Przygotować ciasto. Mąkę wysypać na stolnicę i wymieszać ze szczyptą soli. Wbić jajka i, powoli dolewając wody, zagniatać luźne ciasto. Nie może być ono zbyt twarde, w razie potrzeby dolać więcej wody. Ciasto rozwałkować na cienki placek, pociąć go na kwadraty. Na każdy nakładać łyżeczkę farszu, a następnie składać kwadraty na pół po przekątnej, by powstał trójkąt, zlepiać brzegi i sklejać ze sobą dwa przeciwległe rogi.

Gotowe uszka wrzucać na osolony wrzątek. Po wypłynięciu wyjmować je łyżką cedzakową i odkładać na półmisek.

BARSZCZ Z USZKAMI

SKŁADNIKI:

- 8 buraków ćwikłowych
- 2 liście laurowe
- 4 ziarnka ziela angielskiego
- wywar pozostały z gotowania grzybów do uszek
- sok z cytryny lub ocet winny do smaku
- sól, cukier, pieprz czarny do smaku
- natka pietruszki

WYKONANIE:

Buraki umyć, obrać i przełożyć do garnka. Zalać wodą, dodać liście laurowe, ziele angielskie i sól. Gotować na średnim ogniu około 40 minut. Ugotowane buraki wyjąć. Można je wykorzystać np. do sałatki. Do barszczu wlać wywar z grzybów. Całość doprawić do smaku solą, czarnym pieprzem, cukrem i sokiem z cytryny lub octem winnym. Na koniec dodać 2 łyżki farszu grzybowego, przygotowanego do uszek.
Bardzo gorącym barszczem zalewać ułożone na talerzach uszka z suszonymi grzybami i natychmiast podawać.

Można posypać natką pietruszki.

PIECZONY PSTRĄG Z ZIEMNIAKAMI

SKŁADNIKI:

- 4 świeże pstrągi
- 30 g masła
- oliwa z oliwek
- 1 kg ziemniaków średniej wielkości
- 1 cytryna
- 4 ząbki czosnku
- 2 łyżeczki rozmarynu (świeży lub suszony)
- kilka gałązek koperku
- sól, pieprz czarny do smaku

WYKONANIE:

Świeże pstrągi dokładnie pozbawić łusek. Oskrobane naciąć ostrym nożem wzdłuż – od strony brzucha do głowy – i wypatroszyć. Po usunięciu wnętrzności starannie opłukać pod bieżącą wodą. Nie ma konieczności odcinania im głów. Umyte pstrągi osuszyć – najlepiej za pomocą ręcznika papierowego. Dokładnie natrzeć od środka niewielką ilością soli i pieprzu, do środka każdej ryby włożyć plasterek schłodzonego masła, 2 plasterki cytryny, cały ząbek czosnku i świeży lub suszony rozmaryn. Następnie natrzeć pstrągi z wierzchu niewielką ilością oliwy z oliwek i każdego zawinąć w oddzielną kopertę z folii aluminiowej. Tak opakowane ułożyć w brytfannie lub naczyniu żaroodpornym i wstawić do nagrzanego piekarnika. Piec przynajmniej 40 minut w temperaturze około 200°C. W tym czasie obrać średniej wielkości ziemniaki, umyć je, włożyć do garnka, zalać zimną wodą i osolić. Gotować pod przykryciem, na niewielkim ogniu około 30–40 minut. Kiedy będą miękkie (sprawdzić delikatnie nakłuwając je widelcem), odcedzić. Na patelni roztopić masło i gorącym polać ziemniaki. Przed podaniem posypać ziemniaki świeżym koperkiem, a pstrągi udekorować plasterkiem cytryny.

CZERWONA KAPUSTA

SKŁADNIKI:

- 1 główka czerwonej kapusty
- 1 duża cebula
- oliwa do smaku
- sól, czarny lub ziołowy pieprz do smaku
- goździki i gwiazdka anyżu do dekoracji

WYKONANIE:

Kapustę oczyścić z wierzchnich liści, przekroić na pół i poszatkować. Cebulę obrać i pokroić w kostkę. Kapustę umieścić w garnku, zalać wrzątkiem i gotować 10 minut. Po tym czasie wyłożyć na sito i odsączyć. Gdy kapusta wystygnie, dodać do niej pokrojoną cebulę i posolić. Dodać oliwę, według uznania, i przyprawić do smaku pieprzem ziołowym lub czarnym. Wymieszać. Udekorować goździkami i gwiazdką anyżu.

Sałatkę taką można podawać do pieczonego drobiu, a także do dań z wieprzowiny i wołowiny.

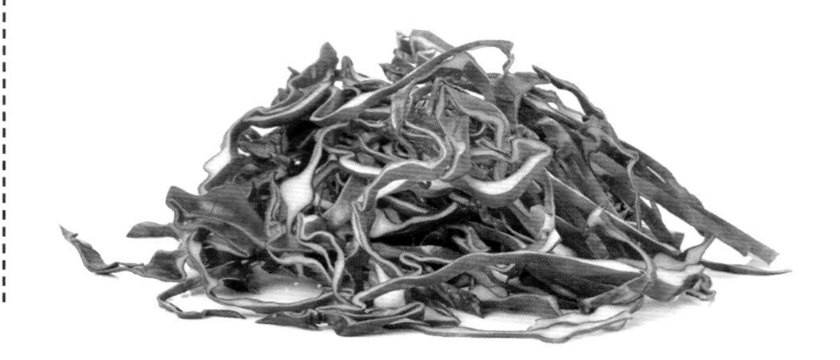

BABKA PIASKOWA

SKŁADNIKI:

Na ciasto

- 150 g cukru
- 150 g masła
- 1 cukier wanilinowy
- 200 g mąki pszennej tortowej
- 100 g mąki ziemniaczanej
- 1 łyżeczka proszku do pieczenia
- skórka otarta z 2 pomarańczy
- 5 jajek
- szczypta soli

Na lukier

- 2 białka
- 300 g cukru pudru
- 1/2 łyżki soku z pomarańczy

WYKONANIE:

Dwie godziny przed pieczeniem naszykować wszystkie składniki na ciasto – powinny mieć temperaturę pokojową. Pomarańcze wyszorować szczoteczką i płynem do naczyń. Osuszyć i otrzeć z nich skórkę na drobnej tarce. Rozbić jaja, oddzielić białka od żółtek. Za pomocą miksera ubić białka ze szczyptą soli na sztywną pianę. W drugim naczyniu utrzeć masło z cukrem i cukrem wanilinowym na gładką, puszystą masę. Wtedy – cały czas miksując – dodawać stopniowo po jednym żółtku. Mąkę pszenną i ziemniaczaną przesiać (dzięki temu ciasto będzie puszyste) i wymieszać z proszkiem do pieczenia. Dodawać stopniowo do masy z masła i żółtek. Na koniec dodać skórkę z pomarańczy oraz pianę z białek i delikatnie wymieszać. Formę do pieczenia babki (z tuleją, czyli tzw. kominem) wysmarować odrobiną masła i oprószyć mąką pszenną. Wypełnić ciastem. Wstawić do piekarnika nagrzanego do 200°C i piec około 60 minut. Po godzinie sprawdzić patyczkiem, czy ciasto jest w środku zupełnie suche – jeśli tak, wyjąć i lekko ostudzić.

Przygotować lukier. Białka, cukier puder i sok z pomarańczy ucierać przez 15 minut mikserem na najwolniejszych obrotach. Polać babkę gotowym lukrem.

KISIEL Z ŻURAWINY DO PICIA

SKŁADNIKI:

- 200–300 g żurawiny świeżej lub mrożonej
- 5 goździków
- 1 łyżeczka cukru wanilinowego
- 2–3 łyżki miodu
- 3 łyżki mąki ziemniaczanej
- kora cynamonu

WYKONANIE:

Żurawinę wypłukać, garść odłożyć do dekoracji, a resztę pokroić, aby nie pękała (strzelała) w czasie gotowania, zalać wodą, dodać goździki i ugotować. Do kompotu dodać cukier wanilinowy oraz miód. Wyjąć goździki, a resztę zmiksować. Przygotować około 750 ml wody. Odlać pół szklanki, a resztę dodać do kompotu. Jeśli otrzymany kompot jest za mało słodki, można go dosłodzić, dodając więcej miodu. Zagotować. W 1/2 szklanki zimnej wody rozprowadzić mąkę ziemniaczaną. Dolać ją do gotującego się kompotu i, ciągle mieszając, gotować 2 minuty. Otrzymany kisiel rozlać do pucharków. Ozdobić korą cynamonu i całymi owocami żurawiny.

ZESTAW II

Flaki wołowe

❧

Pieczony kurczak

❧

Pieczone kartofelki

❧

Fasolka z bułeczką
na złoto

❧

Muffinki
z żurawiną i lukrem

❧

Kompot jesienny
do picia

FLAKI WOŁOWE

SKŁADNIKI:

- 1 kg łaty wołowej
- 1 goleń wołowa (sama kość)
- 2 kg flaków wołowych krojonych, mogą być mrożone
- 300 g włoszczyzny pokrojonej w słupki
- 1 łyżeczka mielonej gałki muszkatołowej
- 3 liście laurowe
- 6 ziaren ziela angielskiego
- 1 łyżka majeranku
- 6 łyżek mąki pszennej
- 3 łyżki masła
- 2 strąki czerwonej papryki, może być ostra
- natka pietruszki do dekoracji

WYKONANIE:

Dobrze umyte mięso i goleń wołową umieścić w garnku, zalać wodą, posolić i gotować na wolnym ogniu 2–3 godziny, do miękkości.

W drugim garnku zagotować pokrojone flaki. Pogotować je około 15 minut i odcedzić na dużym sicie. Ponownie włożyć flaki do garnka, zalać wrzątkiem i zagotować. Czynność powtarzać aż do utraty niepożądanego zapachu. Po ostatnim odcedzeniu zalać wrzątkiem, posolić i gotować do miękkości. Odcedzić.

Z ugotowanego w osobnym garnku wywaru wyjąć mięso i kość. Wywar przecedzić przez sitko, aby pozbawić go ewentualnych odprysków kości. Ugotowaną łatę wołową rozłożyć na desce, przycisnąć drugą deską i obciążyć. Zostawić do wystudzenia. Pokroić w paseczki.

Do przecedzonego wywaru dodać ugotowane flaki, pokrojone mięso, liść laurowy i ziele angielskie. Doprowadzić do wrzenia. Posolić do smaku. Zagotować, dodać pokrojoną w słupki włoszczyznę i papryki w całości. Gotować na wolnym ogniu jeszcze około pół godziny. Dodać majeranek, doprawić do smaku pieprzem i gałką muszkatołową.

Na rozgrzanej patelni przygotować zasmażkę, rumieniąc na maśle mąkę. Dodać zasmażkę do flaków i przez chwilę gotować na wolnym ogniu. Jeśli trzeba, doprawić do smaku. Podawać z białym pieczywem. Udekorować natką pietruszki.

PIECZONY KURCZAK

SKŁADNIKI:

- 1 cały kurczak
- 2 cytryny
- 2 ząbki czosnku
- 250 g masła
- 1 łyżka miodu
- 1 cebula
- kilka gałązek rozmarynu do dekoracji
- 1/2 łyżeczki curry
- sól i pieprz do smaku

WYKONANIE:

Umytego kurczaka natrzeć z wierzchu i od środka solą i pieprzem. Czosnek obrać, posiekać i rozetrzeć w moździerzu. Do miski włożyć masło, roztarty czosnek, dodać sok z połówki cytryny, miód i curry. Utrzeć łyżką. Tak przygotowaną marynatą natrzeć kurczaka. Wyszorowaną cytrynę i obraną cebulę przekroić i umieścić wewnątrz kurczaka. Związać nogi i ułożyć kurczaka w natłuszczonej blaszce, obłożyć plastrami cytryny. Nagrzać piekarnik do temperatury 200°C i wstawić do niego kurczaka. Po 10 minutach zmniejszyć temperaturę pieczenia do 180°C i piec 40 minut na każdy kilogram mięsa. W trakcie pieczenia polewać kurczaka wytapiającym się sosem. Gotowe mięso udekorować gałązkami rozmarynu i podawać z pieczonymi ziemniakami.

PIECZONE KARTOFELKI

SKŁADNIKI:

- 1 kg ziemniaków
- 3–4 łyżki oliwy z oliwek
- sól morska
- gałązki świeżego rozmarynu do dekoracji

WYKONANIE:

Wyłożyć blaszkę papierem do pieczenia. Ziemniaki dobrze wyszorować, osuszyć i pokroić w ósemki (lub w grube talarki). Nie obierać. Najlepiej, jeśli ziemniaki będą podobnej wielkości, o regularnym kształcie. Olej wlać do talerzyka. Zamaczać kolejno cząstki ziemniaków i układać na wyłożonej papierem blaszce. Posolić i piec 40–45 minut w temperaturze 180°C. W trakcie pieczenia dobrze jest obrócić je na drugą stronę, aby się równomiernie przypiekły. Podawać gorące, przybrane gałązkami rozmarynu.

FASOLKA Z BUŁECZKĄ NA ZŁOTO

SKŁADNIKI:

- 1 kg zielonej fasolki szparagowej
- 3 łyżki masła
- 1 łyżka tartej bułki
- sól do smaku

WYKONANIE:

Za pomocą ostrego nożyka pozbawić fasolkę końcówek, usunąć ewentualne włókna. Zalać zimną wodą i dokładnie wypłukać. W dużym garnku zagotować wodę i dobrze posolić. Do wrzącej wody wkładać czyste strąki. Gotować około 25–30 minut, tak aby fasolka nie była rozgotowana. Odcedzić na sicie. Na dużej patelni roztopić masło, a gdy będzie gorące, wsypać do niego tartą bułkę. Mieszając, zrumienić na złoty kolor. Wyłożyć fasolkę na talerz i polać ją masłem ze zrumienionymi okruszkami bułki. Ostrożnie wymieszać, nie uszkadzając strąków. Podawać jako jarzynkę do drugiego dania.

MUFFINKI Z ŻURAWINĄ I LUKREM

SKŁADNIKI:

Na ciasto

- 2 szklanki mąki pszennej
- 3/4 szklanki cukru
- 1/2 kostki masła
- 2 jajka
- 4 łyżki śmietany
- 1 1/2 łyżeczki proszku do pieczenia
- 1 torebka suszonej żurawiny

Na lukier

- białko z 1 jajka
- cukier puder

WYKONANIE:

Przygotować ciasto. Masło rozpuścić i wystudzić. Jajka ubić z cukrem, dodać śmietanę, roztopione masło i wymieszać. Gdy wszystkie składniki się połączą, dosypać przesianą mąkę, wymieszaną z proszkiem do pieczenia. Dobrze wymieszać. Na dużej blasze z piekarnika ustawić papilotki i nakładać do każdej po 1 łyżce ciasta. Wsypać po kilka owoców żurawiny i wcisnąć je patyczkiem od szaszłyków, aby schowały się w cieście. Wstawić do nagrzanego do 180°C piekarnika i piec około 20 minut.

Przygotować lukier. Białka utrzeć z cukrem pudrem, dosypując tyle cukru, ile zabierze białko.

Gdy lukier będzie biały i gęsty, polewać cienkim strumieniem babeczki, rysując na ich powierzchni ozdobne wzorki. Blaszkę z babeczkami wstawić do gorącego piekarnika na 10 minut, aby lukier wysechł.

KOMPOT JESIENNY

SKŁADNIKI:

- 4 twarde gruszki dowolnej odmiany
- 2 kwaśne jabłka
- 6 niebieskich śliwek (mogą być węgierki)
- miód lub cukier do smaku
- kawałek kory cynamonu
- gałązki zielonej mięty do dekoracji

WYKONANIE:

Gruszki i jabłka umyć, przekroić na połówki, usunąć gniazda nasienne, a miąższ pokroić w półksiężyce. Śliwki umyć i wypestkować. Owoce włożyć do garnka, zalać 2 litrami wody, dodać korę cynamonu i gotować na malutkim ogniu 40 minut. Kompot odstawić na godzinę, by naciągnął. Następnie usunąć cynamon i posłodzić miodem lub cukrem. Kompot przelać do dzbanka razem z owocami. Udekorować listkami świeżej mięty i podawać.
Kompot jest najsmaczniejszy, gdy jest jeszcze ciepły, ale nie gorący.

ZESTAW III

Bruschetty

Barszcz biały tradycyjny
z białą kiełbasą

Pierogi ruskie

Pomidory
ze szczypiorkiem

Tarta z rabarbarem

Kompot ze śliwek

BRUSCHETTY

SKŁADNIKI:

- 1 bagietka
- 2 pomidory
- 1/2 cebuli
- 1 ząbek czosnku
- 2–3 łyżki oliwy z oliwek
- 300 g sera mozzarella
- 1/2 pęczka szczypiorku
- sól i pieprz czarny mielony do smaku

WYKONANIE:

Pomidory umyć i pokroić w plastry. Cebulę obrać i pokroić w drobną kostkę. Czosnek obrać i przecisnąć przez praskę. Pomidory włożyć do miski, posypać je cebulą i czosnkiem, przyprawić połową oliwy, solą oraz pieprzem i lekko wymieszać. Miskę przykryć i wstawić do lodówki. Ser mozzarella pokroić na plasterki. Szczypiorek wypłukać i drobno pokroić. Nagrzać piekarnik do 180°C. Bagietkę pokroić w ukośne plastry, skropić oliwą i ułożyć na wyłożonej papierem do pieczenia blaszce. Wstawić do piekarnika i piec, aż kromki się zarumienią. Wyjąć blaszkę z piekarnika i przestawić temperaturę na 120°C. Na każdą grzankę położyć plaster pomidora, przykryć plastrem mozzarelli i ponownie wstawić grzanki do piekarnika. Zapiekać około 3 minut, aż ser na grzankach się roztopi. Wyjąć z piekarnika i posypać szczypiorkiem.
Przekąskę podawać na ciepło, bezpośrednio po upieczeniu.

BARSZCZ BIAŁY TRADYCYJNY

SKŁADNIKI:

- 800 g białej kiełbasy
- 1 kg łopatki wieprzowej
- 500 g wędzonego surowego boczku lub wędzonych żeberek
- 8 jajek ugotowanych na twardo
- 1 jajko surowe
- 3–4 liście laurowe
- 5–6 ziarenek ziela angielskiego
- 15 ziarenek pieprzu czarnego
- 2–3 łyżki majeranku
- 1 łyżka mąki pszennej
- 1/2 szklanki śmietany 18%
- świeżo starty korzeń chrzanu
- sól, pieprz do smaku

WYKONANIE:

Do dużego garnka włożyć opłukaną wcześniej i pokrojoną na kawałki łopatkę, boczek (w całości), liście laurowe, pieprz i ziele angielskie. Zalać wodą, aby przykryć mięso. Doprowadzić do wrzenia. Zmniejszyć ogień do minimum i po godzinie gotowania wyjąć mięso z wywaru. Włożyć do niego umytą białą kiełbasę (ponakłuwaną za pomocą wykałaczki) i parzyć ją na wolnym ogniu przez około 20 minut. Następnie wyjąć kiełbasę na deskę do krojenia i ostudzić. W garnuszku wymieszać chrzan, śmietanę i mąkę. Zahartować kilkoma łyżkami gorącego wywaru i powoli dodawać do garnka. Zagotować. Zestawić z ognia. Roztrzepać jajko, dodać do niego kilka łyżek barszczu i również wlać do garnka. Doprawić barszcz solą, pieprzem i majerankiem. Ważne – nie dopuścić do zagotowania. Białą kiełbasę, pokrojoną w plasterki, ułożyć w talerzach wraz z połówkami jajek ugotowanych na twardo. Można dodać ugotowane wcześniej w wywarze wędzony boczek i łopatkę pokrojone w kostkę. Rozlać do talerzy gorący barszcz i natychmiast podawać.

PIEROGI RUSKIE

SKŁADNIKI:

Na ciasto

- 500 g mąki pszennej
- 2 jajka
- około 1 szklanki letniej wody
- szczypta soli

Na farsz

- 300 g twarogu półtłustego
- 500 g ugotowanych ziemniaków
- 1 jajko
- 2 cebule
- sól, pieprz czarny do smaku
- olej rzepakowy do polania
- 1 posiekana cebulka

WYKONANIE:

Przygotować farsz. Ugotowane ziemniaki pokroić na ćwiartki. Twaróg pokroić w niedużą kostkę. Cebule obrać i pokroić na ćwiartki. Składniki farszu przepuścić przez maszynkę (wkładać na zmianę ser, ziemniaki i cebulę). Farsz doprawić solą i pieprzem do smaku, wbić jajko i wymieszać.

Przygotować ciasto na pierogi. Mąkę wysypać na stolnicę i wymieszać ze szczyptą soli. Zrobić zagłębienie i wbić w nie jajka. Powoli dolewając wody, zagniatać ciasto. Powinno być luźne. Jeżeli mimo wyrabiania ciągle jest zbyt twarde, trzeba dolać więcej wody. Gotowe ciasto uformować w wałek, odkrawać z niego mniejsze kawałki. Każdy kawałek rozwałkować na cienki placek, filiżanką lub kokilką powycinać z niego kółka. Na każdy krążek nakładać łyżeczkę farszu, a następnie składać na pół i zlepiać brzegi. Gotowe pierogi wrzucać na osolony wrzątek. Po wypłynięciu wyjmować je łyżką cedzakową i odkładać na sito do osączenia.

Na patelni rozgrzać trochę oleju i podsmażyć na nim posiekaną cebulkę. Doprawić ją do smaku solą.

Ugotowane pierogi rozkładać na talerzach i okrasić podsmażoną cebulką. Podawać od razu.

POMIDORY ZE SZCZYPIORKIEM

SKŁADNIKI:

- 500 g jędrnych, czerwonych pomidorów
- 1/2 pęczka cebuli dymki
- 2 łyżki oliwy z oliwek
- 1 łyżeczka nasion kolendry
- sól i czarny pieprz do smaku

WYKONANIE:

Pomidory umyć, osuszyć, pozbawić szypułek i pokroić w ćwiartki. Dymkę umyć. Cebulki pokroić w drobną kostkę, a szczypior posiekać. Włożyć pomidory do salaterki, dodać pokrojoną dymkę. Polać oliwą z oliwek, dodać nasiona kolendry i wymieszać. Bezpośrednio przed podaniem oprószyć pokrojonym szczypiorkiem, posolić i posypać świeżo zmielonym lub utłuczonym w moździerzu czarnym pieprzem. Tak przyrządzone pomidory są uniwersalną przystawką. Można je podawać zarówno do kanapek, jak i do obiadu.

TARTA Z RABARBAREM

SKŁADNIKI:

Na ciasto

- 3 szklanki mąki pszennej tortowej
- 2 łyżeczki proszku do pieczenia
- 5 żółtek
- 250 g masła
- 1/3 szklanki cukru pudru
- kasza manna do wysypania formy

Na masę owocową

- 5 białek
- szczypta soli
- 1/2 szklanki oleju
- 1 szklanka cukru
- 2 budynie waniliowe
- 250 g truskawek
- 500 g rabarbaru

WYKONANIE:

Przygotować ciasto. Przesiać mąkę na stolnicę. Dodać masło, posiekać je i wymieszać z mąką. Następnie dodać proszek do pieczenia, cukier puder i żółtka. Zagnieść kruche ciasto (tylko do momentu połączenia się składników). Formę do tarty wysmarować niewielką ilością masła i wysypać kaszą manną lub mąką. Wykleić formę ciastem. Piekarnik rozgrzać do 180°C. Zapiekać przez 20 minut. Wyjąć z piekarnika i ostudzić.

Truskawki opłukać, pozbawić szypułek, osuszyć i pokroić na połówki. Rabarbar opłukać, osuszyć i pokroić na mniejsze kawałki.

W wysokim naczyniu ubić białka na sztywną pianę, dodając szczyptę soli. Do ubitych białek stopniowo dodawać cukier (po łyżce), cały czas miksując. Następnie – również stopniowo – wsypywać budyń w proszku. Na koniec porcjami wlewać olej. Wylać masę na zapieczony i wystudzony kruchy spód, na wierzch wyłożyć truskawki i rabarbar. Piec 30 minut w temperaturze 180°C. Tartę podawać ciepłą lub ostudzoną.

KOMPOT ZE ŚLIWEK

SKŁADNIKI:

- 1 kg śliwek
- 4 łyżki cukru
- 1 łyżeczka soku z cytryny

WYKONANIE:

Śliwki dokładnie umyć i wypestkować. Można też owoce zostawić w całości. Włożyć je do garnka, zalać zimną wodą i ugotować. Optymalny czas gotowania to 20–30 minut. Gdy kompot będzie ugotowany, dodać cukier i dla koloru sok z cytryny. Kompot odstawić na 30 minut do naciągnięcia. Następnie przecedzić (niekoniecznie) i przelać do dzbanka.
Do przygotowania kompotu można użyć różnych odmian śliwek; kompot będzie miał wtedy barwę zależną od koloru owoców.

Można także zamiast cukrem posłodzić kompot miodem.

ZESTAW IV

Sałatka capri

Meksykańska
zupa chili

Udka kurczaka zapiekane
z ziemniakami i kiełbaską

Szpinak duszony

Placek ze śliwkami

Mojito truskawkowe

SAŁATKA CAPRI

SKŁADNIKI:

- 250 g sera mozzarella w małych kulkach
- 3–4 średniej wielkości pomidory
- 4 łyżki oliwy z oliwek
- kilka gałązek świeżej bazylii
- pieprz czarny w ziarnach, rozgnieciony w moździerzu
- sól do smaku

WYKONANIE:

Ser mozzarella odsączyć z zalewy. Pomidory umyć i przekroić na połówki. Na talerzu układać na zmianę kulki mozzarelli i połówki pomidorów. Całość polać oliwą, posypać rozgniecionym pieprzem i solą. Udekorować listkami świeżej bazylii.

MEKSYKAŃSKA ZUPA CHILI

SKŁADNIKI:

- 500 g mielonego mięsa wieprzowego
- 100 g fasoli pinto
- 1 duża cebula
- 50 ml oleju
- 100 g koncentratu pomidorowego
- 1 mały strączek świeżej lub suszonej papryczki chili
- sól, cukier i pieprz do smaku
- posiekana zielenina do dekoracji

WYKONANIE:

Fasolę namoczyć na noc. Następnego dnia odlać wodę, fasolę wypłukać i ugotować do miękkości w dużej ilości posolonej wody. Odcedzić i odstawić. Posiekać cebulę. Na głęboką patelnię o grubym dnie wlać olej i podsmażyć cebulę na lekko złoty kolor. Włożyć mięso i podsmażać, aż utworzy grudki podobne do ziarenek kaszy. Dolać około pół litra wody i posolić. Dodać koncentrat pomidorowy, chwilę całość dusić, po czym włożyć papryczkę chili. Dodać ugotowaną fasolę i dusić około pół godziny. Przyprawić pieprzem i solą do smaku. W razie potrzeby dolewać wody, by zupa miała odpowiednią gęstość. Posypać posiekaną zieleniną. Podawać z pieczywem.

UDKA KURCZAKA ZAPIEKANE Z ZIEMNIAKAMI

SKŁADNIKI:

- 3 udka kurczaka
- 6 ziemniaków
- 6 frankfurterek lub innych kiełbasek
- 6 szalotek
- 4 łyżki masła
- 1 łyżka oregano
- sól i pieprz do smaku

WYKONANIE:

Udka kurczaka przeciąć na 2 części, dokładnie umyć i natrzeć solą. Ziemniaki obrać i podgotować w posolonej wodzie, przestudzić i pokroić w ćwiartki lub plastry. Szalotki obrać. Kiełbaski pokroić według uznania. Naczynie żaroodporne wysmarować połową masła. Udka posolić, posypać ziołami i ułożyć w naczyniu. Ziemniaki, kiełbaski oraz cebulki równomiernie rozłożyć między kawałkami mięsa. Schłodzone masło pokroić w wiórki i oprószyć nim udka oraz ziemniaki. Wstawić do piekarnika nagrzanego do temperatury 220°C. Po około 10 minutach powinny się zarumienić, wówczas zmniejszyć temperaturę do 130°C i piec jeszcze około 30 minut.

SZPINAK DUSZONY

SKŁADNIKI:

- 500 g świeżego szpinaku
- 10–15 listków świeżej bazylii
- 1 duża cebula
- 6 ząbków czosnku
- 30 g masła
- szczypta świeżo startej gałki muszkatołowej
- sól i pieprz czarny do smaku

WYKONANIE:

Szpinak opłukać pod zimną bieżącą wodą, pozostawić na durszlaku do odsączenia. Listki bazylii opłukać i drobno posiekać. Czosnek obrać i przepuścić przez praskę. Cebulę obrać i pokroić w drobną kostkę. Masło roztopić na dużej patelni, zeszklić na nim czosnek i cebulę, cały czas mieszając, aby nie podsmażyły się zbyt mocno. Następnie dodać odsączony szpinak i posiekaną bazylię. Dusić pod przykryciem około 5 minut. Pod koniec duszenia szpinak posypać gałką muszkatołową. Doprawić solą i pieprzem do smaku.
Do przyrządzenia dania poza sezonem można wykorzystać szpinak mrożony i suszoną bazylię.

PLACEK ZE ŚLIWKAMI

SKŁADNIKI:

- 2 1/2 szklanki mąki pszennej
- 1 szklanka cukru
- 1 cukier wanilinowy
- 2 łyżeczki proszku do pieczenia
- 4 jajka
- 1 masło
- 800 g śliwek
- kasza manna do wysypania formy

WYKONANIE:

Śliwki opłukać, osuszyć, pokroić na połówki i usunąć pestki.
Masło roztopić w rondelku i wystudzić.
W wysokim naczyniu utrzeć mikserem całe jajka z cukrem i cukrem wanilinowym. Dolać ostudzone (ale płynne) masło. Mąkę przesiać, wymieszać z proszkiem do pieczenia i dodać do puszystej masy z jajek i cukru. Chwilę całość miksować. Tortownicę wysmarować masłem, wysypać kaszą manną i wylać na nią ciasto. Na koniec poukładać na nim śliwki. Piekarnik rozgrzać do temperatury 200°C. Piec 60 minut.

MOJITO TRUSKAWKOWE

SKŁADNIKI:

Na 1 porcję

- 60 ml soku z limonki
- 5 truskawek
- 10 listków świeżej mięty
- 2 łyżeczki cukru trzcinowego
- pokruszony lód
- woda mineralna (do dopełnienia szklanki)

WYKONANIE:

Limonkę umyć, przekroić i wycisnąć sok. Truskawki opłukać, pokroić w plasterki.
W szerokiej i wysokiej szklance rozgnieść 5 listków mięty i 2/3 truskawek z 2 łyżkami cukru trzcinowego. Zalać sokiem wyciśniętym z limonki. Dodać pokruszony lód (powinien zajmować około 1/3 szklanki) i uzupełnić wodą mineralną – w zależności od upodobań gazowaną lub niegazowaną. Udekorować pozostałymi plasterkami truskawek i listkami mięty.

ZESTAW V

Carpaccio
z wołowiny

Krem grzybowy

Klopsiki jagnięce

Dynia zapiekana

Placek cytrynowy

Kompot
z rabarbaru

CARPACCIO Z WOŁOWINY

SKŁADNIKI:

- 200 g polędwicy wołowej
- 3 łyżki oliwy z oliwek
- garść rukoli
- 1 łyżka soku z cytryny
- 100 g parmezanu
- sól i pieprz czarny grubo mielony do smaku

WYKONANIE:

Przeznaczoną na carpaccio wołowinę umyć, osuszyć i włożyć na godzinę do zamrażarki. W niskiej temperaturze mięso zesztywnieje. Wyjąć je z zamrażarki i pokroić w bardzo cienkie plastry. Oliwę z oliwek połączyć z sokiem z cytryny i posmarować mięso. Całość przyprawić solą i pieprzem. Tak przygotowane plastry wołowiny ułożyć na talerzu – plastry powinny zachodzić na siebie. Posypać grubo mielonym pieprzem, skropić oliwą. Na wierzchu ułożyć listki rukoli i pokruszyć lub zetrzeć parmezan.

KREM GRZYBOWY

SKŁADNIKI:

- 400 g świeżych grzybów leśnych
- 200 g śmietany 18%
- 1 łyżeczka mąki pszennej
- 1 litr bulionu warzywnego
- 2 łyżki oliwy z oliwek
- sól, pieprz czarny i ziołowy do smaku
- natka pietruszki do dekoracji

Na grzanki

- bagietka
- 25 g masła

WYKONANIE:

Grzyby oczyścić i pokroić w plastry. Włożyć do garnka, zalać bulionem i gotować 40 minut. Gdy będą miękkie, wyjąć kilka ładnych kawałków i odłożyć je do dekoracji talerzy. Śmietanę wymieszać z mąką, wlać do garnka i zagotować, a następnie miksować do uzyskania jednolitej konsystencji kremu. Doprawić do smaku solą i pieprzem.

Nagrzać piekarnik do temperatury 200°C. Bagietkę pokroić w kromeczki, posmarować masłem, ułożyć na blaszce i piec, aż się zrumieni.

Nalewać zupę do talerzy, dekorować pozostawionymi kawałkami grzybów. Podawać z grzankami, polaną odrobiną oliwy z oliwek i przybraną natką pietruszki.

KLOPSIKI JAGNIĘCE

SKŁADNIKI:

- 500 g jagnięciny
- 2 cebule
- 1 czerstwa bułka
- 2 jajka
- 2 pomidory
- bułka tarta
- 1 łyżka musztardy
- 2 łyżeczki mąki pszennej
- 1 listek laurowy
- kilka ziarenek czarnego pieprzu
- sól, gałka muszkatołowa, czarny mielony pieprz do smaku
- listki kolendry do przybrania

WYKONANIE:

Jagnięcinę umyć, osuszyć, pokroić w kostkę. Cebulę obrać i pokroić w ćwiartki. Bułkę namoczyć i dobrze odcisnąć. Wszystko zemleć w maszynce do mięsa i wyłożyć do miski. Wbić jajka, przyprawić solą, pieprzem oraz gałką muszkatołową i dobrze wyrobić. Jeśli masa jest zbyt rzadka, dodać nieco tartej bułki. Z otrzymanej masy formować okrągłe klopsiki.

W płytkim garnku zagotować 500 ml wody z solą, pieprzem i musztardą. Do gotującej się wody wkładać klopsiki. Dodać listek laurowy i gotować około 30 minut. Na koniec rozprowadzić w niewielkiej ilości wody 2 łyżeczki mąki, wyjąć klopsiki z sosu i zaciągnąć go mąką. Chwilę gotować, a następnie włożyć klopsiki z powrotem. Na każdym położyć cząstkę pomidora, przykryć i na bardzo małym ogniu dusić jeszcze 10 minut. Podawać ozdobione gałązkami kolendry.

DYNIA ZAPIEKANA

SKŁADNIKI:

- 1 dynia hokkaido
- 1 cukinia
- 1 duży burak ćwikłowy
- 1 pęczek młodej marchewki
- 2 czerwone cebule
- 2 ząbki czosnku
- 1 łyżka orzeszków piniowych
- 3 łyżki oliwy z oliwek
- kilka gałązek natki pietruszki
- sól i pieprz do smaku

WYKONANIE:

Dynię hokkaido umyć, przeciąć na pół, pozbawić nasion i pokroić razem ze skórką w półksiężyce. Cukinię umyć i pokroić w półplastry. Buraczek obrać, umyć i pokroić w ósemki. Marchewkę dokładnie wyszorować i obciąć natkę na wysokości kilku centymetrów od korzenia. Cebulę obrać i pokroić w ósemki. Czosnek obrać, przekroić ząbki na połówki. Natkę pietruszki opłukać i drobno posiekać. Żaroodporne naczynie wysmarować tłuszczem i ułożyć w nim pokrojoną dynię, marchewkę, cebulę, czosnek, cząstki buraka. Skropić całość oliwą, przyprawić do smaku solą i pieprzem. Piekarnik nagrzać do temperatury 180°C. Wstawić warzywa i piec 30 minut. Wystawić z piekarnika, posypać orzeszkami piniowymi i piec jeszcze 5 minut. Upieczone warzywa przełożyć do salaterki i posypać natką pietruszki.

Tak przygotowane danie można podawać zarówno na gorąco, jako dodatek do mięs i ryb, jak i na zimno.

PLACEK CYTRYNOWY

SKŁADNIKI:

Na ciasto

- 110 g masła
- 220 g mąki pszennej tortowej
- 60 g cukru pudru
- 2 żółtka

Na krem

- 2 jajka
- 2 żółtka
- 160 g cukru
- 80 g masła
- 2 cytryny
- świeża mięta do dekoracji

WYKONANIE:

Przygotować kruche ciasto. Masło pokroić na mniejsze kawałki. Przesiać mąkę na stolnicę. Wbić do niej żółtka i dodać cukier puder oraz kawałki masła. Posiekać wszystkie składniki nożem. Następnie zagniatać do momentu, aż się połączą (nie za długo, żeby nie „przerobić"). Zawinąć ciasto w folię spożywczą, żeby nie obeschło, i umieścić w lodówce na około godzinę. Następnie wyjąć schłodzone ciasto, rozwałkować je na stolnicy na grubość 1/2 cm i starannie wykleić nim okrągłą silikonową formę do tarty. Nagrzać piekarnik do 200°C. Piec około 15–20 minut. Wyjąć z formy i pozostawić do ostygnięcia.

Przygotować krem. Cytryny wyszorować szczoteczką, wyparzyć i otrzeć z nich skórkę. Wycisnąć sok z obydwu owoców. W metalowej misce lub garnku utrzeć mikserem jajka, żółtka i cukier na gładką, puszystą masę. Umieścić naczynie z masą w kąpieli wodnej. Cały czas delikatnie mieszając, dodać masło, otartą skórkę i sok z obu cytryn. Mieszać, aż krem się zagotuje i zgęstnieje. Wystudzony krem wyłożyć na kruche ciasto. Można udekorować placek listkami świeżej mięty.

KOMPOT Z RABARBARU

SKŁADNIKI:

- 500 g czerwonego rabarbaru
- 1 cytryna
- cukier lub miód do posłodzenia
- gałązki mięty do przybrania

WYKONANIE:

Łodygi rabarbaru przebrać, umyć, usunąć twarde włókna i pokroić na kawałki długości około 2 cm. Włożyć do garnka i wlać około 3 litrów wody. Gotować 15 minut. Cytrynę wyszorować, otrzeć z niej skórkę i dodać do kompotu. Resztę cytryny pokroić w cienkie półplastry i odstawić. Ugotowany kompot posłodzić miodem lub cukrem i wrzucić półplasterki cytryny. Wystudzić.
Kompot z rabarbaru jest orzeźwiający i doskonale gasi pragnienie.
Taki kompot można zrobić również zimą, korzystając z rabarbaru mrożonego.

ZESTAW VI

Krem dyniowy

Pierś kurczaka
faszerowana grzybami

Puree ziemniaczane

Sałatka z porem

Ciasto czekoladowe
wytrawne

Kompot morelowy

KREM DYNIOWY

SKŁADNIKI:

- 500 g dyni
- 1 marchew
- 1 cebula
- 1 szklanka mleka
- 100 g sera pleśniowego
- 1/2 szklanki łuskanych pestek dyni
- 3 łyżki śmietany
- 2 łyżki oliwy z oliwek
- sól i pieprz czarny mielony oraz gałka muszkatołowa do smaku
- świeży tymianek do dekoracji

WYKONANIE:

Dynię przekroić, obrać ze skórki, wypestkować i pokroić w kostkę. Marchew obrać, umyć i pokroić. Cebulę obrać i pokroić w kostkę. Na rozgrzaną patelnię wlać oliwę i zeszklić na niej cebulę. Dodać pokrojoną marchew i dusić 10 minut. Gdy marchew stanie się miękka, dodać pokrojoną dynię. Poddusić, przełożyć do garnka i podlać mlekiem. Gotować, aż warzywa będą miękkie. Zestawić z ognia i przestudzić, a następnie zmiksować. Uzupełnić wodą do pożądanej konsystencji. Przyprawić do smaku solą, pieprzem i gałką muszkatołową. Zagotować, zestawić z ognia i dodać śmietanę. Na patelni zrumienić garść pestek z dyni. Ser pleśniowy pokruszyć. Zupę podawać posypaną pokruszonym serem pleśniowym i pestkami z dyni, udekorowaną świeżym tymiankiem.

PIERŚ KURCZAKA FASZEROWANA GRZYBAMI

SKŁADNIKI:

- 2 piersi kurczaka
- 200 g suszonych prawdziwków
- 2 cebule
- 2 łyżki śmietany
- olej do smażenia
- sól, curry, słodka mielona papryka, pieprz do smaku
- 3–4 łyżki czerwonych porzeczek, świeżych lub mrożonych
- listki bazylii do dekoracji

WYKONANIE:

Grzyby wypłukać i ugotować w posolonej wodzie. Odcedzić i posiekać. Cebule obrać i pokroić w kostkę. Na rozgrzaną patelnię wlać 3 łyżki oleju i zrumienić na nim pokrojoną cebulę. Dodać posiekane grzyby i poddusić. Doprawić do smaku solą i pieprzem, dodać śmietanę. Dusić na patelni bez przykrycia, aż zredukuje się śmietana. Piersi kurczaka umyć i osuszyć. Każdą połówkę piersi podzielić na dwie płaskie części, krojąc ostrym nożem wzdłuż włókien. Każdy otrzymany płat delikatnie rozbić i lekko posolić. Na tak przygotowane płaty mięsa nakładać farsz grzybowy, rolować mięso i związywać bawełnianym sznureczkiem. Na patelni rozgrzać olej. Kłaść na nim mięsne roladki i smażyć z obu stron na złoty kolor. Po obsmażeniu ułożyć je w naczyniu do pieczenia tarty, każdą roladkę posypać szczyptą curry, pieprzem i papryką. Wlać pozostały po smażeniu sos, przykryć naczynie folią aluminiową i wstawić do piekarnika nagrzanego do temperatury 160°C. Piec 20 minut. Podawać gorące, przybrane listkami bazylii i owocami czerwonej porzeczki. Doskonale smakują z puree ziemniaczanym.

PUREE ZIEMNIACZANE

SKŁADNIKI:

- 1 kg ziemniaków
- 2 łyżki masła
- 3 łyżki gorącego mleka
- sól do smaku
- koperek do posypania

WYKONANIE:

Ziemniaki obrać, umyć, zalać taką ilością wody, aby były przykryte. Posolić. Gotować około 20 minut. Stopień ugotowania sprawdzić widelcem. Gdy będą miękkie, odcedzić. Gorące ziemniaki razem z masłem utłuc tłuczkiem do ziemniaków. Pod koniec powoli dolewać ciepłe mleko, cały czas ugniatając ziemniaki, aż powstanie puszysta, gładka masa. Koperek opłukać w zimnej wodzie, drobno posiekać i dodać do ziemniaków. Wymieszać. Przybrać ziemniaki gałązką koperku.
Podawać do mięs, ryb, zsiadłego mleka, maślanki lub innych potraw.

Ziemniaki puree są uniwersalnym dodatkiem do każdego obiadu.

SAŁATKA Z POREM

SKŁADNIKI:

- 1 główka sałaty masłowej
- kawałek pora
- 1/2 łyżeczki ziaren białego sezamu
- 1/2 łyżeczki ziaren czarnego sezamu
- kilka gałązek koperku
- oliwa z pestek winogron
- kilka kropli soku z cytryny
- sól i pieprz do smaku

WYKONANIE:

Sałatę podzielić na poszczególne liście, przebrać je, wypłukać, osuszyć i porwać palcami na mniejsze kawałki. Por oczyścić i pokroić w talarki, każdy rozdzielić na pierścionki. Przelać na sicie wrzątkiem, dokładnie ostudzić i dodać do sałaty. Koperek opłukać i porwać na drobniejsze kawałki. Całość skropić sokiem z cytryny, posolić. Polać niewielką ilością oliwy, dodać koperek. Wymieszać delikatnie i posypać ziarnem sezamowym.

Taka sałatka jest wyśmienitym wiosennym dodatkiem do wielu dań. Oprócz walorów smakowych zawiera wiele cennych witamin i minerałów.

CIASTO CZEKOLADOWE WYTRAWNE

SKŁADNIKI:

- 250 g gorzkiej czekolady
- 100 g masła
- 100 g mąki pszennej
- 100 g cukru
- 2 łyżeczki kawy rozpuszczalnej
- 2 łyżki wódki lub koniaku
- 4 jajka
- szczypta soli
- cukier puder do posypania
- kilka migdałów, listki mięty lub bazylii do przybrania

WYKONANIE:

Czekoladę z masłem rozpuścić w kąpieli wodnej i przestudzić. Jajka umyć, oddzielić żółtka od białek. Białka ubić ze szczyptą soli na sztywną pianę. Odstawić. Żółtka utrzeć z cukrem na puszystą masę. Cały czas ucierając, dodawać porcjami mąkę. Do otrzymanej masy wlać rozpuszczoną z masłem czekoladę i nadal ucierać. Gdy składniki się połączą, powolutku, po odrobinie, wlewać kawę rozpuszczoną w alkoholu, cały czas ucierając ciasto. Alkohol wlewać bardzo ostrożnie, by ciasto się nie zważyło. Na koniec dodać ubitą pianę i delikatnie całość wymieszać łyżką. Ciasto wylać do wyłożonej papierem do pieczenia tortownicy. Piec 45 minut w temperaturze 180°C. Wyłączyć piekarnik i pozostawić w nim ciasto jeszcze przez 10 minut. Następnie wyjąć z piekarnika i wystudzić. Posypać cukrem pudrem i udekorować migdałami oraz listkami mięty lub bazylii.

KOMPOT MORELOWY

SKŁADNIKI:

- 1 kg moreli
- 5 łyżek cukru lub miodu

WYKONANIE:

Świeże owoce umyć, a następnie pozbawić pestek. Włożyć do garnka. Zalać pożądaną ilością wody, dosypać cukru i gotować 10–15 minut. Po ugotowaniu w razie potrzeby dosłodzić. Podawać razem z owocami.

Do posłodzenia kompotu zamiast cukru można użyć miodu. Napój stanie się wówczas jeszcze bardziej wartościowy.

Przygotowane w domu napoje są smaczne i zdrowe, nie zawierają żadnych substancji chemicznych w postaci słodzików, barwników czy konserwantów. Idealnie sprawdzają się jako pełnowartościowy deser serwowany do obiadu.

ZESTAW VII

Tort naleśnikowy
z łososiem

❧

Zupa grzybowa

❧

Karp smażony

❧

Grzyby w śmietanie

❧

Strudel z jabłkami

❧

Napój żurawinowy

TORT NALEŚNIKOWY Z ŁOSOSIEM

SKŁADNIKI:

Na farsz

- 500 g łososia wędzonego
- 300 g serka typu włoskiego – mascarpone lub ricotty
- pęczek koperku
- gałązka świeżej bazylii do dekoracji
- sól i pieprz do smaku

Na naleśniki

- 300 ml mleka
- 150 g mąki pszennej
- 40 g masła
- 2 jajka
- 1/2 łyżeczki soli

WYKONANIE:

Przygotować naleśniki. Mleko zmiksować krótko z jajkami, dodać mąkę, szczyptę soli, roztopione ostudzone masło. Składniki mieszać, aż ciasto osiągnie konsystencję gęstej śmietany – w razie potrzeby dodać więcej mąki lub mleka. Ciasto odstawić na 20–30 minut. Usmażyć naleśniki. Dzięki zawartości masła, nie ma potrzeby smarowania patelni przed smażeniem każdego naleśnika. Usmażone naleśniki odkładać na talerz.

Koperek opłukać, osuszyć i posiekać. Serek wymieszać z koperkiem i doprawić do smaku solą oraz pieprzem. Łososia pokroić na kawałki.

Naleśniki układać jeden na drugim, każdy smarując serkiem i rozkładając na nim kawałeczki łososia. Powstanie w ten sposób naleśnikowy tort. Wierzch tortu udekorować świeżą bazylią i kawałeczkiem łososia.

Przed podaniem tort należy dobrze schłodzić w lodówce.

ZUPA GRZYBOWA

SKŁADNIKI:

- 1 szklanka suszonych grzybów leśnych
- 1 łyżka mąki pszennej
- 1 mała włoszczyzna
- 1 średniej wielkości cebula
- 2–3 łyżki tłoczonego na zimno oleju rzepakowego lub lnianego
- 1/2 szklanki śmietany 18%
- 1 listek laurowy
- 3–4 ziarnka ziela angielskiego
- pieprz i sól do smaku

WYKONANIE:

Grzyby zalać wodą i zostawić na około 2 godziny, a następnie opłukać. Czyste włożyć do garnka i zalać wodą. Gotować około 40 minut. Po ugotowaniu wyjąć grzyby z wywaru (wywar zostawić, będzie potrzebny do zupy) i pokroić je. Cebulę obrać i pokroić w drobną kostkę. Na rozgrzaną patelnię wlać 2–3 łyżki oleju, a następnie wrzucić pokrojoną cebulę. Gdy się zeszkli, dodać pokrojone grzyby. Doprawić solą i pieprzem i chwilę smażyć. Odstawić z ognia.

Do dużego garnka wlać pozostały po gotowaniu grzybów wywar, uważając, aby nie wlać ewentualnego piasku, który osiadł na dnie naczynia. Zawartość garnka uzupełnić wodą do pożądanej ilości. Zagotować. Do gotującego się wywaru dodać pokrojoną w kostkę włoszczyznę: marchew, pietruszkę, seler, por. Gdy warzywa będą miękkie, dodać podsmażone z cebulą grzyby. Zupę przyprawić do smaku solą i pieprzem. Rozetrzeć w kubku mąkę ze śmietaną, a następnie dodać trochę zupy, aby mieszanina uzyskała rzadką konsystencję. Zaciągnąć nią zupę i, cały czas mieszając, doprowadzić ją do wrzenia. Podawać z łazankami lub przybraną zieleniną.

KARP SMAŻONY

SKŁADNIKI:

- 1 świeży karp (ok. 1 1/2 kg)
- mąka do panierowania
- tłoczony na zimno olej rzepakowy lub lniany do smażenia
- sól i pieprz do smaku
- natka pietruszki i ząbki czosnku do dekoracji

WYKONANIE:

Świeżego karpia oskrobać, wypatroszyć i pokroić w dzwonka szerokości około 2 cm. Dzwonka opłukać pod bieżącą wodą i dokładnie osuszyć papierowym ręcznikiem. Posolić i popieprzyć do smaku. Rozgrzać dużą patelnię. Wlać na nią olej. Każdy kawałek ryby obtoczyć w mące i od razu kłaść na gorący olej. Smażyć około 8 minut z każdej strony. Ryba powinna być rumiana. Usmażonego karpia układać na półmisku i udekorować natką pietruszki oraz ząbkami czosnku.
Taki karp smakuje najlepiej bezpośrednio po usmażeniu, gdy jest ciepły, a panierka chrupiąca. Podawać z ziemniakami pieczonymi, surówką z kapusty, bukietem jarzyn albo z pieczywem.

GRZYBY W ŚMIETANIE

SKŁADNIKI:

- 500 g świeżych lub mrożonych grzybów
- 2 cebule
- 3 łyżki stołowe oleju lub sklarowanego masła
- 1 łyżka mąki pszennej
- 200 g śmietany 18%
- sól i pieprz do smaku

WYKONANIE:

Grzyby (mrożone rozmrozić) umyć i pokroić w plastry. Cebule obrać i pokroić w kostkę. Na patelni rozgrzać tłuszcz i wsypać pokrojoną cebulę. Zeszklić i dodać grzyby. Przykryć i dusić około 30 minut. Posolić i popieprzyć do smaku. Śmietanę utrzeć z mąką, aby nie było grudek, i dodać do sosu. Zagotować. Podawać z pieczywem, makaronem lub ziemniakami puree.

STRUDEL Z JABŁKAMI

SKŁADNIKI:

Na ciasto
- 500 g mąki tortowej
- 1 jajko
- 10 g soli
- 250 ml wody
- 3–4 łyżki oleju

Na nadzienie
- 6 jabłek
- 1 cytryna
- 100 g rodzynek
- 1 kieliszek wódki
- 1–2 łyżeczki cynamonu
- 2 łyżki tartej bułki
- 1 łyżka mąki ziemniaczanej
- 3 łyżki cukru
- 100 g orzechów włoskich
- płatki migdałowe i cukier puder do posypania

WYKONANIE:

Do miski przesiać mąkę wymieszaną z solą. Wlać wodę, olej i wbić jajko. Zagnieść szybko ciasto, zawinąć w folię i odłożyć, aby odpoczęło przez godzinę. W tym czasie obrać jabłka, usunąć gniazda nasienne, a miąższ pokroić w kostkę. Rodzynki namoczyć w wódce. Cytrynę wyszorować i przekroić na pół. Wycisnąć z niej sok. Do pokrojonych jabłek dodać orzechy, odciśnięte rodzynki, sok z cytryny, mąkę ziemniaczaną, cynamon i cukier, wymieszać. Ciasto wyjąć z folii na posypaną mąką stolnicę i jeszcze wyrabiać, a następnie rozwałkować i rozciągać palcami, aż będzie bardzo cienkie, a nawet prześwitujące. Rozłożyć je na papierze do pieczenia, posypać tartą bułką i wyłożyć na nie nadzienie. Pomagając sobie papierem, zwijać ciasto w rulon. Końcówki ciasta podwinąć pod spód. Przez papier wyrównać ciasto dłońmi. Przełożyć strudel na blachę do pieczenia, posmarować roztopionym masłem i posypać płatkami migdałowymi. Piec 35 minut w temperaturze 180°C. Wyjąć strudel z piekarnika, lekko przestudzić i posypać cukrem pudrem. Podawać ciepły.

NAPÓJ ŻURAWINOWY

SKŁADNIKI:

- 500 g świeżych żurawin
- 80 g miodu
- 1 cytryna

WYKONANIE:

Zagotować 2 litry wody. Żurawiny opłukać i wrzucić do gotującej się wody. Gotować na wolnym ogniu około 20 minut. Odstawić na 40 minut do naciągnięcia.
Cytrynę umyć, sparzyć, przekroić i wycisnąć z niej sok.
Miód roztopić w kąpieli wodnej, żeby był płynny.
Żurawinowy napój przecedzić (niekoniecznie, można zostawić z owocami), wlać do dzbanka, dodać miód i sok z cytryny. Dokładnie wymieszać.

ZESTAW WEGE

Muffiny z serem

Zupa cebulowa francuska

Placki z cukinii

Marchewka glazurowana w miodzie

Herbata z owocami

Ciasto z truskawkami

MUFFINY Z SEREM

SKŁADNIKI:

- 2 szklanki mąki pszennej (250 g)
- 1 łyżeczka proszku do pieczenia
- 1 marchew
- 150 g sera cheddar
- 50 ml oleju
- 250 ml mleka
- 2 jajka
- 1/2 łyżeczki soli
- szczypta pieprzu i chili
- zioła: suszona natka pietruszki, oregano, szczypiorek
- kilka łyżek tartego sera cheddar do posypania
- 2–3 łyżeczki czerwonej słodkiej papryki
- jadalne bratki lub fiołki do dekoracji

WYKONANIE:

Marchew umyć, oskrobać i zetrzeć na tarce o średnich oczkach. Ser zetrzeć. Suche składniki (mąkę, proszek do pieczenia, pieprz, sól, chili, słodką paprykę, zioła) wymieszać i odstawić. W drugim naczyniu wymieszać olej, mleko, ser, startą marchew, jajka. Połączyć suche składniki z mokrymi, mieszając powoli łyżką, aż do uzyskania jednolitej masy. Foremki do muffinek wyłożyć papilotkami, nałożyć ciasto. Piec 25 minut w temperaturze 180°C (przy wyższej papilotki wtopią się w ciasto i nie da się ich zdjąć z muffinek). Wystudzić i udekorować jadalnymi kwiatami.

ZUPA CEBULOWA FRANCUSKA

WYKONANIE:

Cebulę obrać z łupin i pokroić w piórka. Patelnię rozgrzać, włożyć do niej masło i mocno podgrzać. Dodać pokrojoną cebulę i ciągle mieszając, podgrzewać do momentu, aż zacznie karmelizować. Wlać wino, zagotować i gotować około 10 minut. Gdy wino odparuje, dolać przygotowanego bulionu. Doprawić do smaku solą i mielonym pieprzem. Gotować jeszcze 20 minut.
Wlać zupę do kokilek. Na każdej porcji położyć kromkę bułki, a na nią plaster sera. Kokilki wstawić do nagrzanego piekarnika i zapiekać, aż ser się rozpuści.

SKŁADNIKI:

- 600 g białej cebuli
- 1 litr bulionu warzywnego
- 5 łyżek klarowanego masła
- 150 ml białego wina
- tymianek świeży lub suszony
- sól i świeżo mielony czarny pieprz do smaku
- 200 g twardego żółtego sera
- bagietka na grzanki

PLACKI Z CUKINII

SKŁADNIKI:

- 600 g startej cukinii
- 6–8 łyżek mąki
- 2 jajka
- 1/3 szklanki mleka
- 1/2 łyżeczki soli
- szczypta pieprzu cayenne
- olej do smażenia

Na sos

- 300 ml jogurtu typu greckiego
- 1 zielony ogórek
- 3 ząbki czosnku
- 1 łyżka oliwy z oliwek
- sok z 1/2 cytryny
- koperek
- sól i pieprz do smaku

WYKONANIE:

Przygotować sos jogurtowy. Ogórek obrać i zetrzeć na tarce o grubych oczkach. Posolić i odstawić, a po kwadransie odcisnąć nadmiar wody.
W misce połączyć ogórek z jogurtem, posiekanym czosnkiem, oliwą i posiekanym koperkiem oraz sokiem z połowy cytryny. Całość dokładnie wymieszać. Przyprawić do smaku solą i pieprzem. Wstawić do lodówki.
Przygotować placuszki. Mąkę wymieszać z jajkami, mlekiem, szczyptą soli i pieprzem cayenne. Ciasto powinno mieć konsystencję ciasta naleśnikowego – w razie potrzeby dodać więcej mleka lub mąki. Dodać startą na tarce o grubych oczkach cukinię. Całość wymieszać. Na rozgrzanym oleju smażyć placki na złoty kolor i odkładać je na ręcznik papierowy do odsączenia. Podawać ze schłodzonym sosem jogurtowym.

MARCHEWKA GLAZUROWANA W MIODZIE

WYKONANIE:

Marchewkę obrać i umyć. Jeśli wykorzystywana jest marchewka mrożona, przed użyciem należy ją rozmrozić. Zagotować w garnku wodę, posolić. Gotować marchewki około 10 minut. Odcedzić i osuszyć.

Rozgrzać patelnię o grubym dnie. Włożyć masło, roztopić. Włożyć marchewkę, dodać sól i pieprz do smaku. Polać miodem i podsmażać na bardzo małym ogniu, cały czas mieszając. Każda z marchewek powinna zostać dokładnie pokryta masłem z miodem. Długość podsmażania zależy od tego, jak bardzo ma być skarmelizowany miód.

Koperek posiekać. Z gałązek tymianku oberwać listki, przesuwając palce wzdłuż gałązki od wierzchołka do nasady. Przed podaniem posypać marchewki ziołami.

Podawać na gorąco do mięs albo jako samodzielną przekąskę.

SKŁADNIKI:

- 500 g marchewek mini
- 50 g masła
- 3 łyżki miodu
- sól i pieprz do smaku
- świeży tymianek i koperek do posypania

HERBATA Z OWOCAMI

SKŁADNIKI:

- 2 torebki czarnej herbaty
- 2 cytryny
- 20 świeżych malin
- 4 łyżki miodu malinowego
- 20 listków mięty
- kostki lodu

WYKONANIE:

Dwie torebki herbaty zalać litrem wrzątku. Zaparzyć mocną herbatę. Pozostawić do wystygnięcia. Następnie torebki wyjąć. Dodać do herbaty 4 łyżki miodu malinowego i dokładnie wymieszać. Wstawić na kilka godzin do lodówki.

Cytryny umyć i sparzyć. Jedną z nich przekroić, wycisnąć z niej sok i dodać go do zimnej herbaty. Szklanki napełnić do połowy kostkami lodu. Do każdej szklanki włożyć kilka plasterków cytryny i po 5 malin. Zalać herbatą. Udekorować listkami świeżej mięty.

CIASTO Z TRUSKAWKAMI

WYKONANIE:

Przygotować ciasto. Składniki na biszkopt muszą mieć identyczną temperaturę. Oddzielić białka od żółtek. Białka ubić mikserem na sztywną pianę. W drugim naczyniu utrzeć mikserem cukier i żółtka. Stopniowo dodawać do masy z żółtek i cukru mąkę oraz pianę z białek. Tortownicę wysmarować masłem i obsypać mąką pszenną. Napełnić ciastem biszkoptowym. Włożyć do nagrzanego piekarnika. Piec 60 minut w temperaturze 180°C. Ostudzić i przekroić na 3 blaty.
Przygotować krem. Składniki na krem powinny być mocno schłodzone. Ubijać mikserem śmietankę, dopóki nie zgęstnieje. Następnie przesiać cukier puder i zmiksować go z serkiem mascarpone. Do serka stopniowo dodawać po 1 łyżce ubitej śmietanki, cały czas mieszając krem mikserem na niewielkich obrotach. Świeże truskawki opłukać, osączyć, pozbawić szypułek i pokroić. Na pierwszym blacie rozsmarować 1/3 kremu, ułożyć na nim truskawki i przykryć je drugim biszkoptowym blatem. Na nim rozsmarować kolejną porcję kremu i ułożyć truskawki. Całość przykryć ostatnim blatem i rozsmarować na nim resztę kremu. Rozłożyć truskawki i posypać je listkami mięty. Wstawić ciasto na chwilę do lodówki, by lekko się schłodziło.

SKŁADNIKI:

Na biszkopt

- 200 g cukru
- 200 g mąki pszennej tortowej
- 6 jajek

Na krem

- 250 g serka mascarpone
- 400 ml śmietanki 30%
- 4 łyżki cukru pudru

- 1 kg truskawek
- kilka listków świeżej mięty do przybrania